小公鸡学打鸣

Little Rooster Learns to Crow

冠滨漫画

海豚出版社

dà sēn lín li zhù zhe xǔ duō dòng wù, měi tiān tài yang shēng qǐ de shí hou, gōng jī bà ba dōu zhǔn shí dǎ míng jiào dà jiā qǐ chuáng。

大森林里住着许多动物，每天太阳升起的时候，公鸡爸爸都准时打鸣叫大家起床。

Many animals live in the forest. Every day when the sun comes up Daddy Rooster crows to call them all to get up.

yǒu yì tiān gōng jī bà ba duì xiǎo gōng jī shuō hái zi nǐ yǐ jing zhǎng dà

有一天，公鸡爸爸对小公鸡说：“孩子，你已经长大

le cóng míng tiān kāi shǐ nǐ jiù xué dǎ míng jiào dà jiā qǐ chuáng ba

了，从明天开始你就学打鸣，叫大家起床吧。”

One day his father says to Little Rooster: “Since you’re grown up now, starting from tomorrow you will learn how to crow and wake everyone up.”

xiǎo gōng jī hěn xīng fèn dì èr tiān tiān hái méi liàng tā jiù qǐ chuáng le wō wō
小公鸡很兴奋，第二天天还没亮他就起床了。“喔喔

tā lián shí jiān dōu méi kàn jiù kāi shǐ dǎ míng le
……”，他连时间都没看就开始打鸣了。

This makes Little Rooster feel very happy. So, the next day, he gets up before dawn and begins to cock-a-doodle-doo without even looking at what the time is.

xiǎo xióng shuì de zhèng xiāng yí xià zi bèi jiào xǐng le róu zhe yǎn jing shuō tiān
小熊睡得正香，一下子被叫醒了，揉着眼睛说：“天

hái hēi zhe ne zěn me zhè me zǎo jiù dǎ míng ya
还黑着呢，怎么这么早就打鸣呀？”

Little Bear wakes up immediately from a lovely dream. Rubbing his eyes, he asks: “It’s still dark. Why is he crowing so early?”

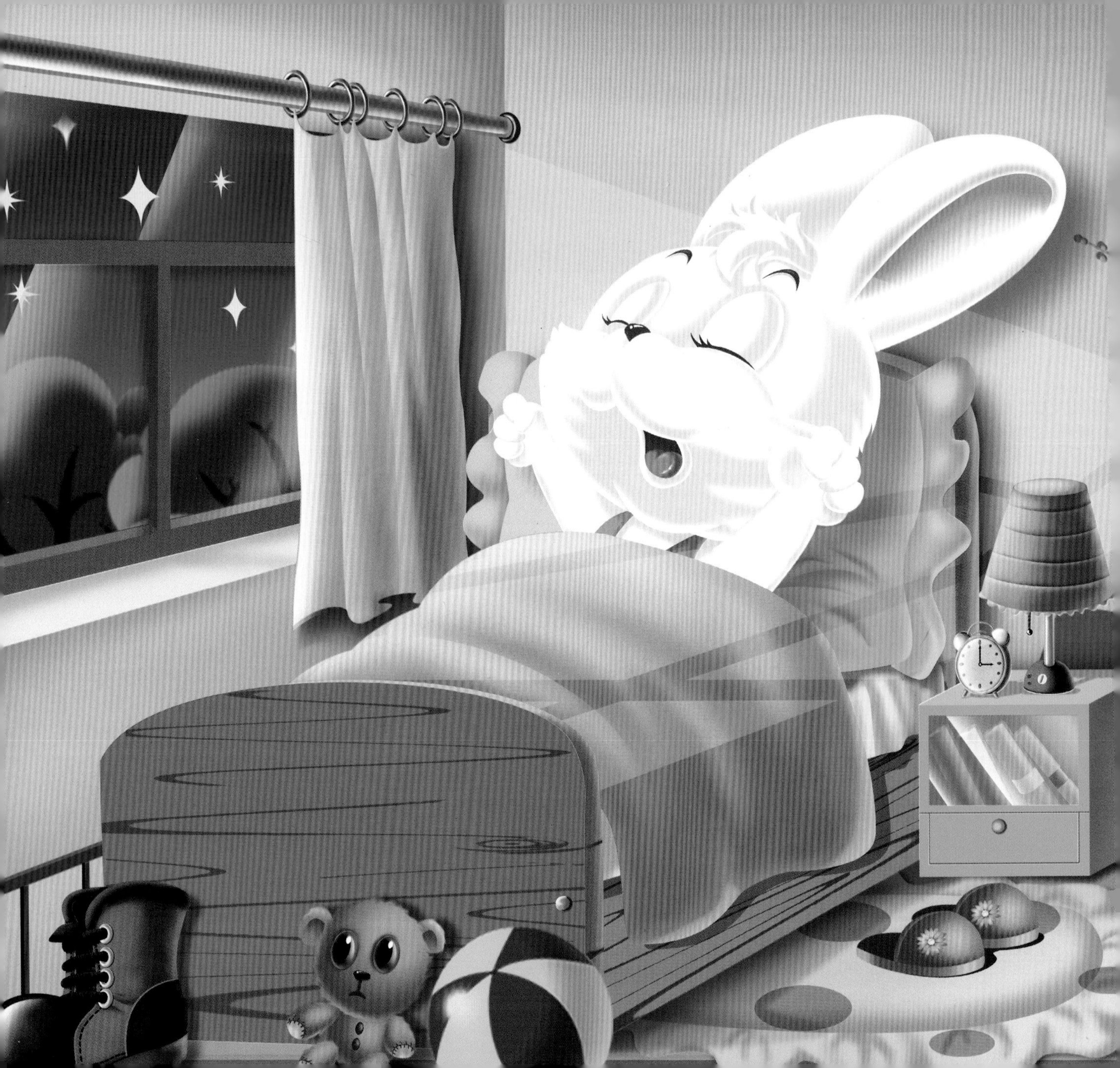

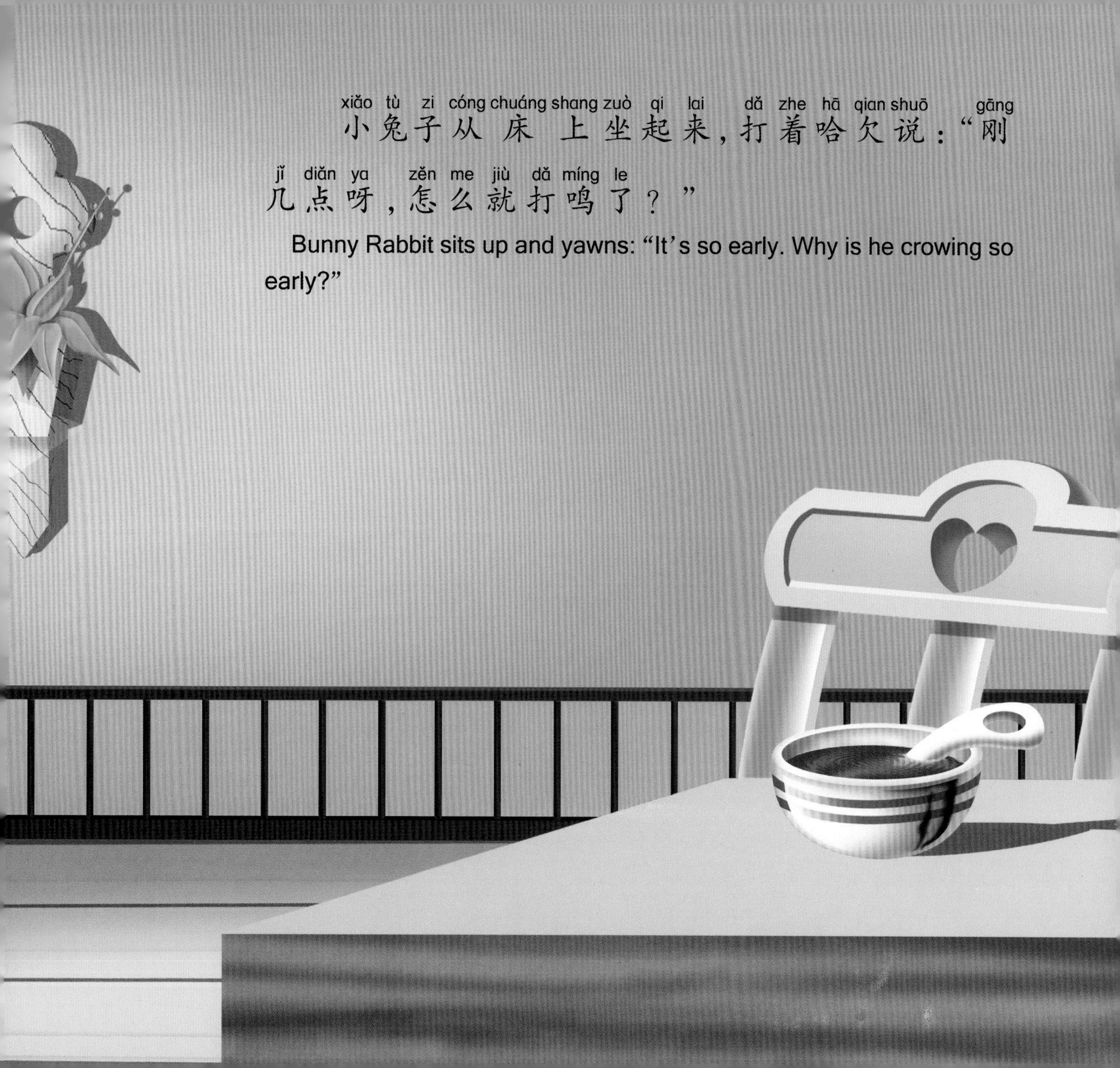

xiǎo tù zi cóng chuáng shang zuò qi lai, dǎ zhe hā qian shuō: "gāng
小兔子从床上坐起来，打着哈欠说："刚

jǐ diǎn ya, zěn me jiù dǎ míng le?"
几点呀，怎么就打鸣了？"

Bunny Rabbit sits up and yawns: "It's so early. Why is he crowing so early?"

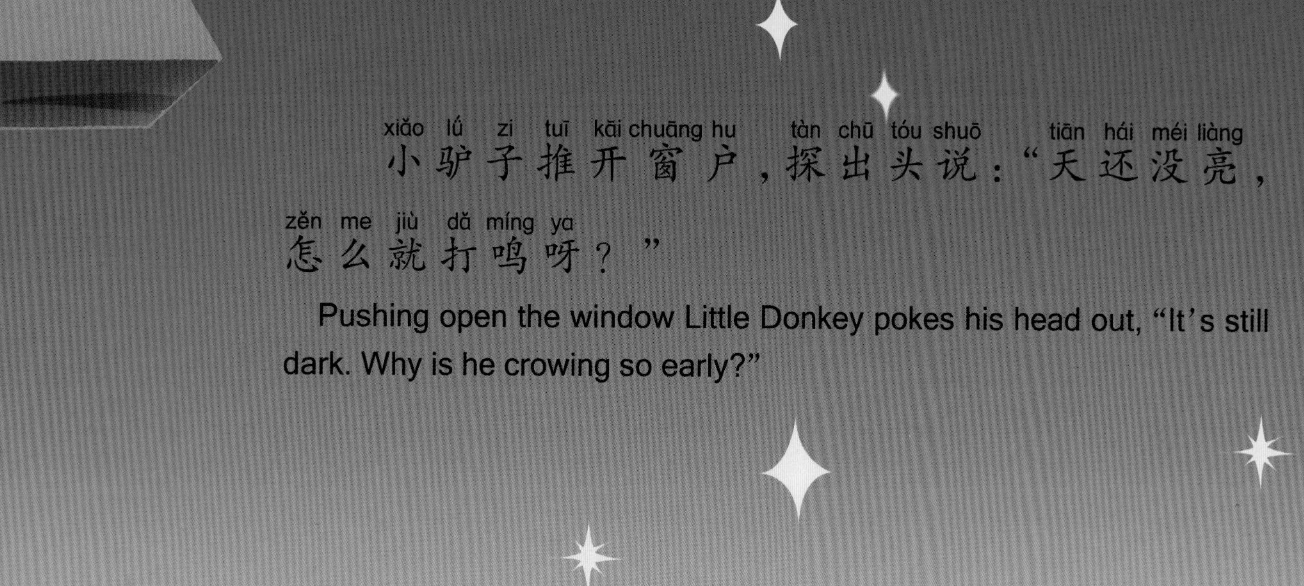

xiǎo lǘ zi tuī kāi chuāng hu tàn chū tóu shuō tiān hái méi liàng
小驴子推开窗户，探出头说：“天还没亮，
zěn me jiù dǎ míng ya
怎么就打鸣呀？”

Pushing open the window Little Donkey pokes his head out, “It’s still dark. Why is he crowing so early?”

niú yé ye dài shàng lǎo huā jìng zǒu chū fáng mén sì chù zhāng wàng tā yě hěn nà mèn
牛爷爷带上老花镜走出房门四处张望,他也很纳闷。

Grandpa Ox puts on his glasses and comes out of his house, looking around in every direction. He is very puzzled.

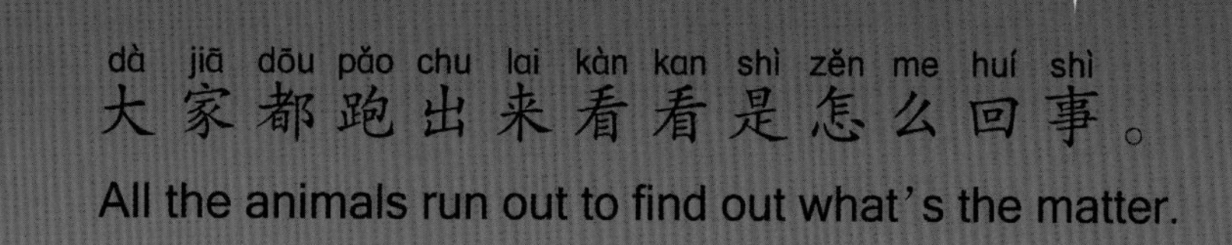

dà jiā dōu pǎo chu lai kàn kan shì zěn me huí shì

大家都跑出来看看是怎么回事。

All the animals run out to find out what’s the matter.

kàn jiàn xiǎo gōng jī zhèng zài dǎ míng dà jiā dōu qī zuǐ bā shé
看见小公鸡正在打鸣，大家都七嘴八舌
de zhì wèn xiǎo gōng jī wèi shén me zhè me zǎo jiù jiào xǐng dà jiā
地质问小公鸡，为什么这么早就叫醒大家。

Seeing that it’s Little Rooster crowing they ask all at once: “Why are you waking everyone up this early?”

gōng jī bà ba lián máng pǎo guo lai shuō hái zi wǒ men shì zài tài yang shēng qǐ
公鸡爸爸连忙跑过来说："孩子，我们是在太阳升起

shí cái dǎ míng jiào dà jiā qǐ chuáng de xiǎo gōng jī gǎn dào hěn duì bu qǐ dà jiā
时才打鸣叫大家起床的！"小公鸡感到很对不起大家。

Daddy Rooster hurries across and says: "My child, we roosters wait until the sun rises before crowing to get people out of bed." The Little Rooster is sorry and offers an apology to everyone.

cóng nà yǐ hòu měi dāng tài yang shēng qǐ de shí hou xiǎo gōng jī dōu zhǔn shí de jiào
从那以后，每当太阳升起的时候，小公鸡都准时地叫

dà jiā qǐ chuáng bù zǎo yě bù wǎn
大家起床，不早也不晚。

Now, every day at sunrise, Little Rooster calls everyone to get up - not early, not late, but at the right time.

请填上你认
为最好看的颜色。

The Weasel Pays A New Year Call

dà sēn lín li yǒu yì zhī piào liang de xiǎo gōng jī tā shì yí wèi
大森林里有一只漂亮的小公鸡，他是一位

gē chàng jiā měi tiān qīng zǎo jiù qǐ lai chàng gē
歌唱家，每天清早就起来唱歌。

There is a handsome rooster in the forest who is a good singer. Every day, early in the morning he starts singing.

xiǎo gōng jī yǒu hǎo duō hǎo duō de péng you
小公鸡有好多好多的朋友。

Little Rooster has many good friends.

zhè nián chú xī tā zhèng zài zhǔn bèi nián yè fàn yīn wèi tā de
这年除夕，他正在准备年夜饭，因为他的

péng you men yào lái gěi tā bài nián
朋友们要来给他拜年。

He is preparing New Year's Eve dinner to entertain his friends who are coming to pay their New Year calls.

zhè shí yǒu yì zhī huáng shǔ láng zài wài mian dōng dōng de qiāo mén
这时，有一只黄鼠狼在外面“咚咚”地敲门：

xiǎo gōng jī wǒ shì ā shǔ wǒ lái gěi nǐ bài nián kuài kāi mén ya
“小公鸡，我是阿鼠，我来给你拜年，快开门呀！”

Just then there is a knock at the door. “Little Rooster, this is Ah Shu and I’m here to pay a New Year call. Please open the door quickly.” A weasel says.

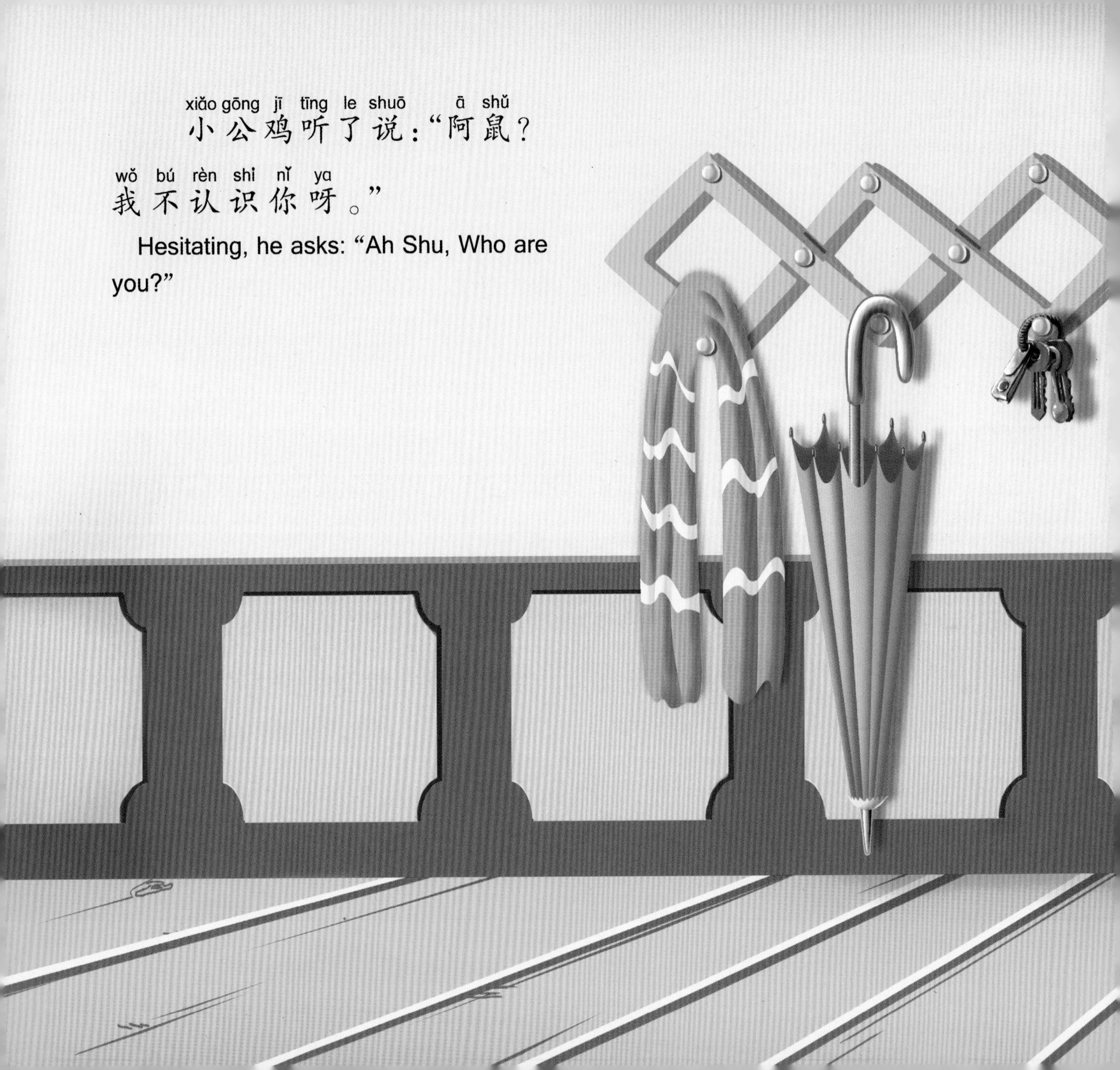

xiǎo gōng jī tīng le shuō: "ā shǔ?
小公鸡听了说："阿鼠？

wǒ bú rèn shi nǐ ya."
我不认识你呀。"

Hesitating, he asks: "Ah Shu, Who are you?"

huáng shǔ láng líng jī yí dòng shuō ò wǒ bà ba hé nǐ
黄鼠狼灵机一动说："哦，我爸爸和你

bà ba shì hǎo péng you wǒ yě xiǎng hé nǐ chéng wéi hǎo péng you
爸爸是好朋友，我也想和你成为好朋友。"

Getting a bright idea, the weasel answers: "Oh, I'm a good friend of your father, and I want to become your good friend too."

yú shì shàn liáng hào kè de xiǎo gōng jī bǎ huáng shǔ láng qǐng jìn le wū huáng shǔ
于是，善良好客的小公鸡把黄鼠狼请进了屋。黄鼠

láng kàn jiàn zhuō zi shang bǎi mǎn le hǎo chī de chán de zhí liú kǒu shuǐ
狼看见桌子上摆满了好吃的，馋得直流口水。

So the kind and hospitable Little Rooster invites the weasel in. Seeing the delicious food on the table, the weasel's mouth begins to water.

tū rán huáng shǔ láng xiōng xiàng bì lù
突然，黄鼠狼凶相毕露，
ná chū shéng zi jiù yào kǔn xiǎo gōng jī xiǎo
拿出绳子就要捆小公鸡，小
gōng jī xià de yì biān hǎn jiù mìng yì biān wǎng
公鸡吓得一边喊救命一边往
wài pǎo
外跑。

Suddenly, revealing its savagery, the weasel pounces with a rope to tie him up. The terrified rooster rushes out, yelling for help.

zhè shí xiǎo xióng hé xiǎo tù lái gěi xiǎo gōng jī bài nián tīng jiàn le xiǎo gōng jī de
这时，小熊和小兔来给小公鸡拜年，听见了小公鸡的

hū jiù shēng
呼救声。

Just then, Little Bear and Bunny Rabbit arrive to pay a New Year call and hear Little Rooster's cries.

xiǎo xióng hé xiǎo tù yì qǐ gǎn zǒu le huáng shǔ láng, xiǎo gōng jī xià de zhí kū

小熊和小兔一起赶走了黄鼠狼，小公鸡吓得直哭。

Little Bear and Bunny Rabbit drive the weasel off but Little Rooster is still crying.

xiǎo xióng shuō huáng shǔ láng shì gè huài dàn
小熊说："黄鼠狼是个坏蛋，

tā lái gěi nǐ bài nián gēn běn jiù méi ān hǎo xīn
他来给你拜年，根本就没安好心。"

xiǎo tù yě dīng zhǔ dào yǐ hòu kě qiān wàn bié suí
小兔也叮嘱道："以后可千万别随

biàn xiāng xìn mò shēng rén
便相信陌生人！"

Little Bear says, "The weasel is a bad guy! His New Year call did not mean you well." Bunny Rabbit also warns him: "In future, don't ever trust strangers so easily."

找一找上面两幅图中有几处不同，请把不同的地方指出来。

小老鼠上灯台

Little Mouse Climbs up the Lamp Stand

yè shēn le yì zhī tiáo pí de xiǎo lǎo shǔ lǐng zhe mèi mei liū chū dòng lai wán shuǎ

夜深了，一只调皮的小老鼠领着妹妹溜出洞来玩耍。

Late at night, a naughty little mouse slips out to play together with his younger sister.

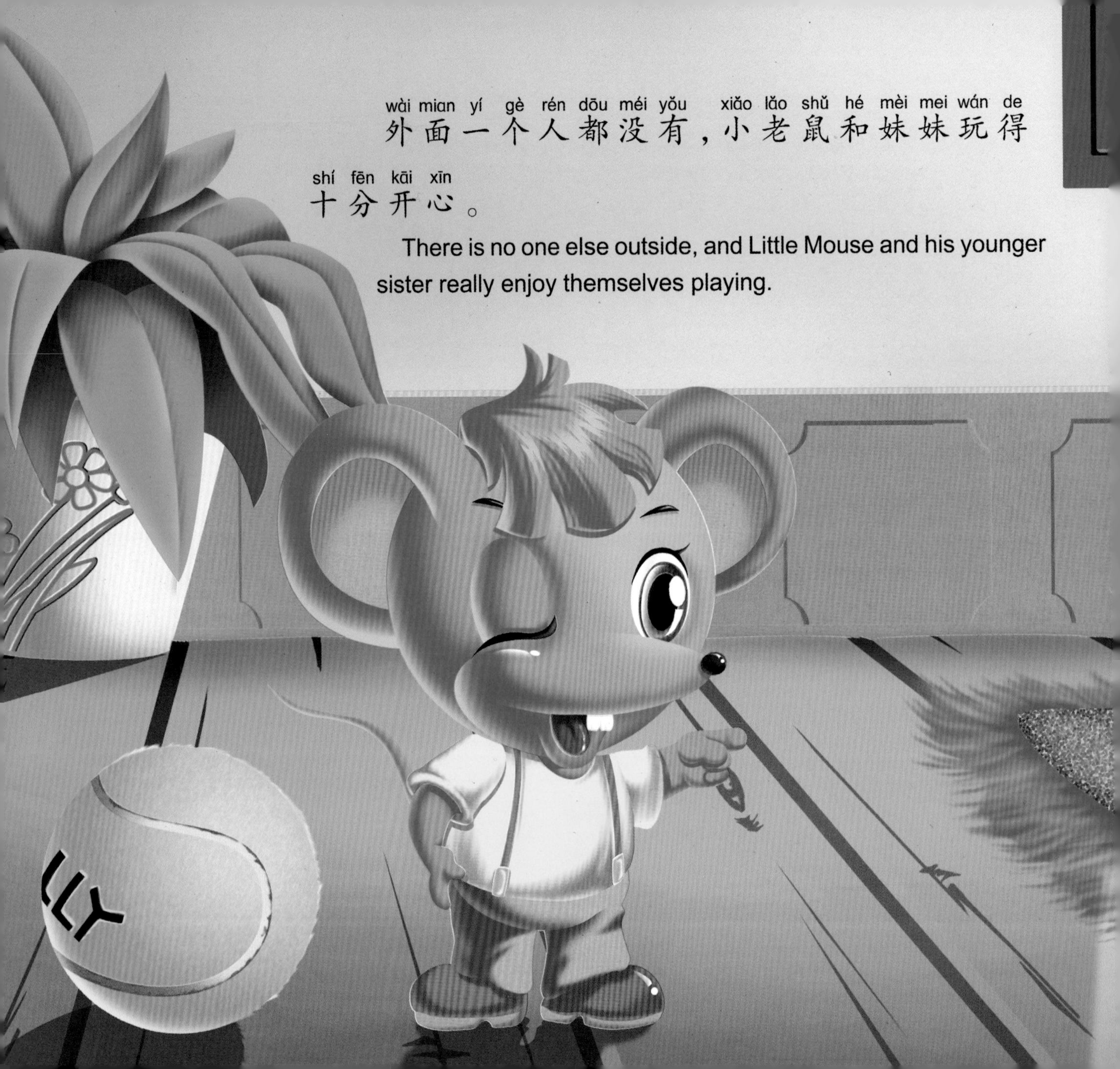

wài mian yí gè rén dōu méi yǒu, xiǎo lǎo shǔ hé mèi mei wán de
外面一个人都没有，小老鼠和妹妹玩得
shí fēn kāi xīn
十分开心。

There is no one else outside, and Little Mouse and his younger sister really enjoy themselves playing.

hū rán yí zhèn nóng nóng de yóu xiāng wèi piāo le guò lái mèi mei shuō gē ge
忽然，一阵浓浓的油香味飘了过来，妹妹说：“哥哥，

hǎo xiāng a wǒ men qù kàn kan ba
好香啊！我们去看看吧。”

Suddenly the air is thick with the fragrance of oil, and the sister says, “Brother, what a nice smell! Let’s go and take a look.”

xiǎo lǎo shǔ lā zhe mèi mei shùn zhe xiāng wèi pá shàng le zhuō zi
小老鼠拉着妹妹顺着香味爬上了桌子，

yuán lái shì yì zhǎn yóu dēng xiōng mèi liǎ chán de zhí liú kǒu shuǐ
原来是一盏油灯，兄妹俩馋得直流口水。

Following the aroma, Little Mouse climbs onto a table with his younger sister. Actually, the delicious smell is coming from an oil lamp and their mouths start to water.

miàn bāo hé nǎi lào wǒ dōu bú ài chī wǒ jiù ài hē dēng yóu
“面包和奶酪我都不爱吃，我就爱喝灯油，
hā hā xiǎo lǎo shǔ shuō wán jiāng miàn bāo hé nǎi lào luò qi lai dā chéng
哈哈！”小老鼠说完，将面包和奶酪摞起来搭成
tī zi
梯子。

“I don’t want the bread and cheese, but I do want to eat the lamp oil. Haha!” As he says this, Little Mouse piles up the bread and cheese to make steps.

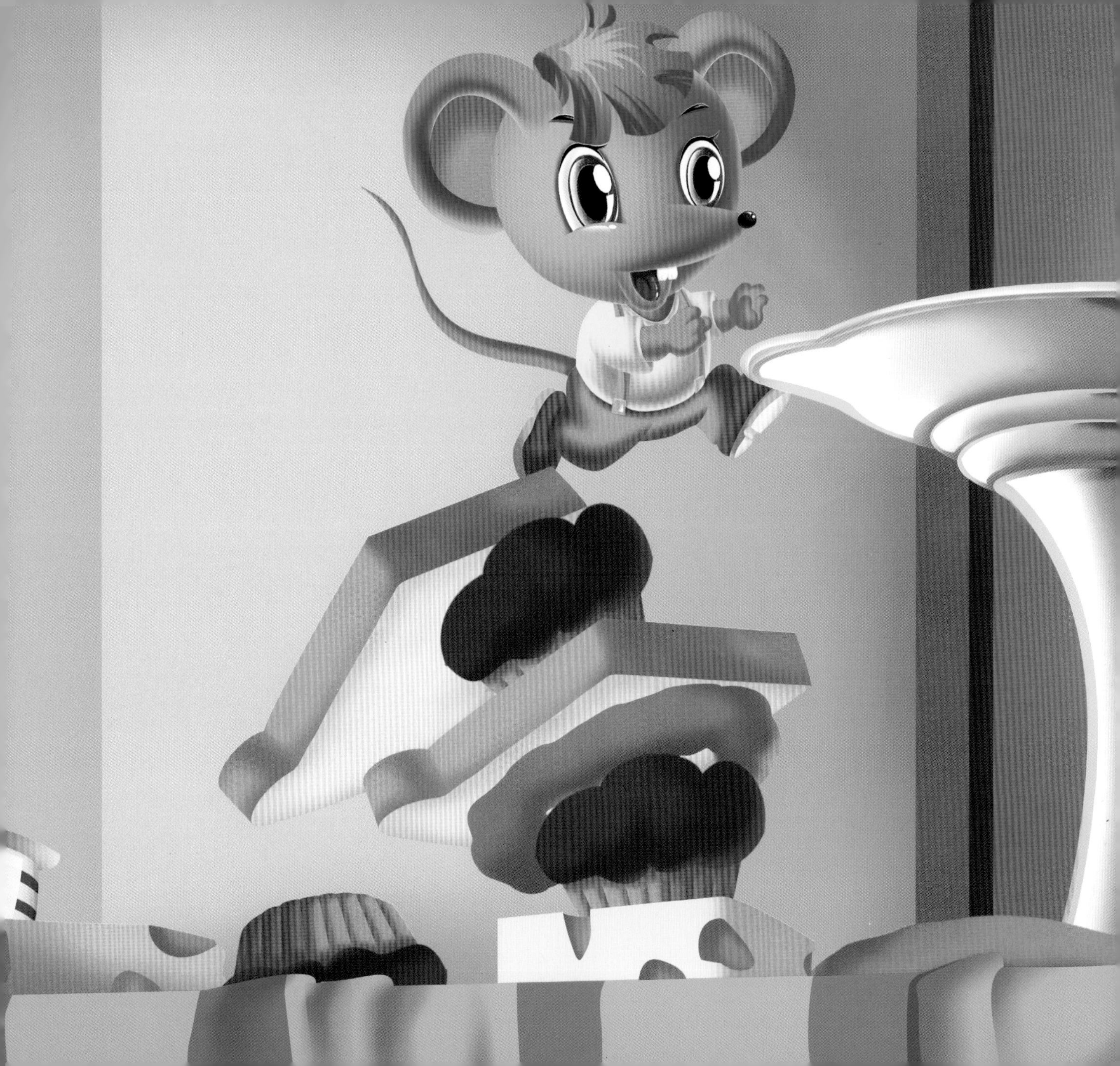

xiǎo lǎo shǔ shùn zhe tī zi pá shàng dēng tái
小老鼠顺着梯子爬上灯台，

měi měi de chī le qǐ lái
美美地吃了起来。

Climbing onto the lamp stand, Little Mouse starts to tuck in.

xiǎo lǎo shǔ chī bǎo le xiǎng xià lai, què fā xiàn tī zi tā
小老鼠吃饱了想下来，却发现梯子塌

le. zhè xià zāo le! tā jí de zhí kū.
了。“这下糟了！”他急得直哭。

After eating his fill, Little Mouse wants to get down but discovers that the steps have already fallen apart. “What a mess!” he sobs.

mèi mei lì qì tài xiǎo méi fǎ dā tī zi zhǐ hǎo kū zhe pǎo huí jiā qù jiào rén
妹妹力气太小，没法搭梯子，只好哭着跑回家去叫人。

Since the younger sister is not strong enough to put up the steps herself, in tears she runs back home to call for help.

mèi mei qì chuǎn xū xū de bǎ shì qing jīng guò gào su le jiā li rén
妹妹气喘吁吁地把事情经过告诉了家里人。

Panting for breath, the younger sister tells the family everything.

dà jiā gǎn máng pǎo dào yóu dēng xia yòng miàn bāo hé nǎi lào dā tī zi

大家赶忙跑到油灯下用面包和奶酪搭梯子。

They all rush to the lamp stand and use the bread and cheese to make the steps again…

xiǎo lǎo shǔ zhōng yú dé jiù le quán jiā rén dōu fēi cháng gāo xìng nǎi nai gào jiè xiǎo
小老鼠终于得救了，全家人都非常高兴！奶奶告诫小

lǎo shǔ yǐ hòu qiān wàn bù néng tān chī yo
老鼠："以后千万不能贪吃哟！"

The whole family is delighted to see the little mouse rescued. His grandma tells Little Mouse, "After this, never be greedy again."

用下面图中哪一块灯台能把油灯补好？

小松鼠找果子

Little Squirrel Looks for Nuts

xiǎo sōng shǔ zhǎng dà le tā hěn xiǎng bāng mā ma zuò xiē shì qing yú shì līng shàng lán
小松鼠长大了，他很想帮妈妈做些事情，于是拎上篮

zi qù zhǎo guǒ zi
子去找果子。

Little Squirrel thinks he is old enough to help Mummy so, with a basket in his hand, he goes out to look for nuts.

tā yù dào xiǎo hóu zi zhèng zài shài bèi zi máng pǎo guo qu wèn xiǎo hóu zi
他遇到小猴子正在晒被子，忙跑过去问：“小猴子，

nǐ zhī dào nǎ li yǒu guǒ zi ma xiǎo hóu zi zhǐ zhe yuǎn chù shuō nán shān shang yǒu
你知道哪里有果子吗？”小猴子指着远处说：“南山上有

hǎo duō guǒ zi
好多果子。”

He sees a monkey airing a quilt, hurries over and asks: “Brother Monkey, would you please tell me where to find nuts?” Pointing into the distance the monkey says, “There are lots on the South Mountain.”

tā wǎng qián zǒu kàn jiàn zhèng zài bǔ hú dié de xiǎo gōng jī máng wèn xiǎo gōng

他往前走，看见正在捕蝴蝶的小公鸡，忙问："小公

jī nǎ lǐ yǒu guǒ zi ya xiǎo gōng jī zhǐ zhi hòu bian shuō nán shān shang jiù yǒu

鸡，哪里有果子呀？"小公鸡指指后边说："南山上就有

guǒ zi

果子。"

On the way Little Squirrel sees a rooster catching a butterfly and hurries to ask: "Little Rooster, where can I find nuts?" Pointing back the rooster says, "On the South Mountain."

xiǎo sōng shǔ gào bié le xiǎo gōng jī jì xù zǒu kàn jiàn le xiǎo tù zi zài shài tài
小松鼠告别了小公鸡继续走，看见了小兔子在晒太

yang máng wèn xiǎo tù zi nǐ zhī dào nǎ li yǒu guǒ zi ma xiǎo tù zi zhēng kāi
阳，忙问："小兔子，你知道哪里有果子吗？"小兔子睁开

yì zhī yǎn jīng shuō nán shān shang jiù yǒu guǒ zi
一只眼睛说："南山上就有果子。"

Meeting a rabbit basking in the sun, Little Squirrel hurriedly asks him: "Little Rabbit, where can I find nuts?" Slowly opening one of his eyes, the rabbit says: "There are nuts on the South Mountain."

xiǎo sōng shǔ lái dào nán shān
小松鼠来到南山

shang kàn dào mǎn dì de guǒ zi
上，看到满地的果子，

tā gāo xìng de bù dé liǎo
他高兴得不得了。

Little Squirrel finally arrives and is very pleased to see the ground covered with “nuts.”

xiǎo sōng shǔ yì biān jiǎn zhe dì shang de guǒ zi yì biān gāo xìng de chàng
小松鼠一边捡着地上的果子，一边高兴地唱

zhe gē
着歌。

He sings as he picks up the “nuts.”

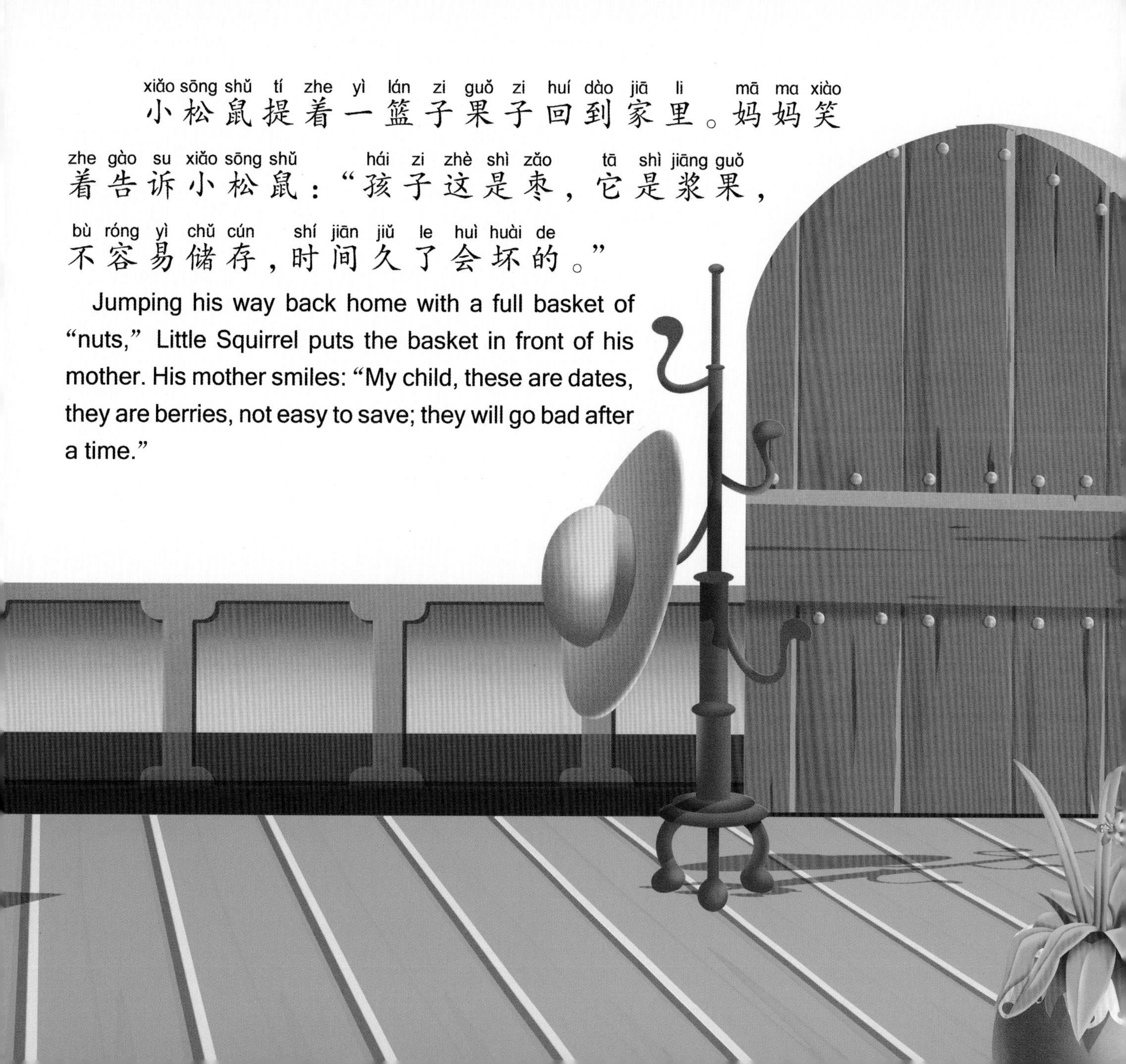

xiǎo sōng shǔ tí zhe yì lán zi guǒ zi huí dào jiā li mā ma xiào
小松鼠提着一篮子果子回到家里。妈妈笑
zhe gào su xiǎo sōng shǔ hái zi zhè shì zǎo tā shì jiāng guǒ
着告诉小松鼠："孩子这是枣，它是浆果，
bù róng yì chǔ cún shí jiān jiǔ le huì huài de
不容易储存，时间久了会坏的。"

Jumping his way back home with a full basket of "nuts," Little Squirrel puts the basket in front of his mother. His mother smiles: "My child, these are dates, they are berries, not easy to save; they will go bad after a time."

jiē zhe mā ma dǎ kāi jiā li chǔ cáng shì de mén shuō hái zi zhè shì
接着，妈妈打开家里储藏室的门说：“孩子，这是

hé tao zhè shì xiàng guǒ zhè shì sōng zǐ zhè lèi jiān guǒ cái shì kě yǐ cháng shí jiān
核桃，这是橡果，这是松子，这类坚果才是可以长时间

chǔ cún de shí wù
储存的食物。”

Then his mother opens the door of their storeroom and tells Little Squirrel: “These are walnuts, these are acorns and these are pine nuts. These nuts are hard and easy to keep for a long time.”

xiǎo sōng shǔ diǎn dian tóu shuō mā ma wǒ míng bai
小松鼠点点头说：“妈妈，我明白

le wǒ men yīng gāi chǔ cún jiān guǒ lèi shí wù
了，我们应该储存坚果类食物。”

Nodding his head, Little Squirrel says, “Mummy, I understand now. It’s better to save the hard kind to eat.”

dì èr tiān xiǎo sōng shǔ cǎi huí le mǎn mǎn yì lán zi de jiān guǒ
第二天，小松鼠采回了满满一篮子的坚果。

The next day Little Squirrel comes back home with a basket full of the right kind of nuts.

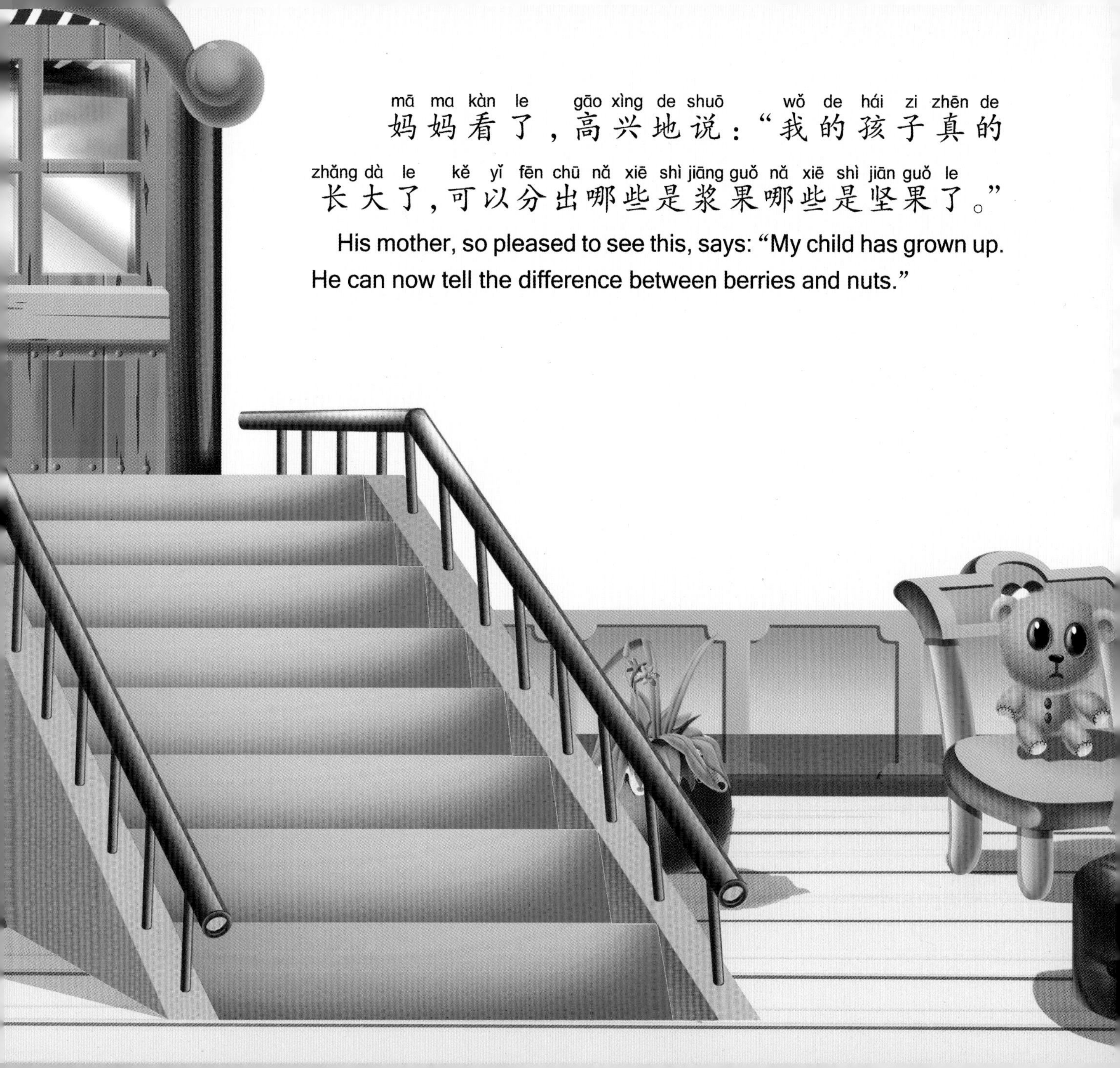

mā ma kàn le, gāo xìng de shuō: "wǒ de hái zi zhēn de

妈妈看了，高兴地说：“我的孩子真的

zhǎng dà le, kě yǐ fēn chū nǎ xiē shì jiāng guǒ nǎ xiē shì jiān guǒ le。"

长大了，可以分出哪些是浆果哪些是坚果了。”

His mother, so pleased to see this, says: "My child has grown up. He can now tell the difference between berries and nuts."

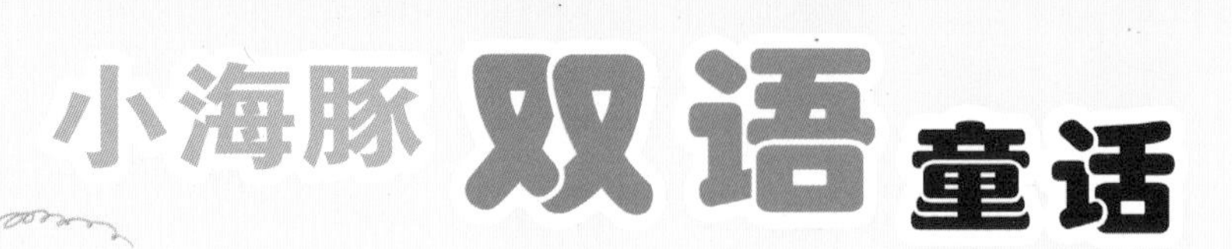

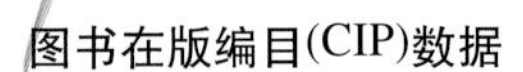

图书在版编目(CIP)数据

小公鸡学打鸣 / 侯冠滨编绘；王增芬翻译. －北京：海豚出版社，2006.1
（小海豚双语童话）
ISBN 978-7-80138-550-5

I. 小... II. 侯... III. 漫画：连环画－作品集－中国－现代 IV. J228.2

中国版本图书馆CIP数据核字（2005）第146888号

书　　名	小公鸡学打鸣
作　　者	侯冠滨　编绘　王增芬　翻译
出　　版	海豚出版社
地　　址	北京百万庄大街24号　　邮政编码：100037
电　　话	（010）68997480（销售）（010）68326332（投稿）
传　　真	（010）68993503
印　　刷	北京外文印刷厂
经　　销	新华书店
开　　本	24开（889毫米×1194毫米）
印　　张	4
版　　次	2006年1月第1版　2009年5月第4次印刷
标准书号	ISBN 978－7－80138－550－5
定　　价	9.90元